まちごとインド
北インド002

はじめてのデリー
チャロー! デリー
［モノクロノートブック版］

JN122288

北にヒマラヤをいだき、そこからインド洋に向かって突き出すようなひし形の国土をもつ大国インド。ヒマラヤとインド洋という自然の障壁に囲まれた地形にあって、歴史を通じてインドでは北西部から絶えず新たな民族が流入し、デリーはその入口となってきた。

　インド各地へ通じる地理をもつことから、「デリーを制する者はインドを制する」と言われ、「チャロー！　デリー（デリーへ行こう）」という言葉が使われてきた。多くの諸王朝がこの街に都をおき、巨大なモスクやミナレット

など中世の遺構が今でも残っている。

　21世紀の大国として影響力を強めるインドの首都という顔と、クトゥブ・ミナール、ラール・キラ、フマユーン廟の3つの世界遺産をもち、ムガル帝国時代からの街区を残す古都の顔。デリーはインドの過去と現在が交錯する都市となっている。

Asia City Guide Production
North India 002
Delhi
दिल्ली／दिॱली／دہلی

まちごとインド　北インド 002

はじめての
デリー

チャロー! デリー

「アジア城市（まち）案内」制作委員会
まちごとパブリッシング

Contents

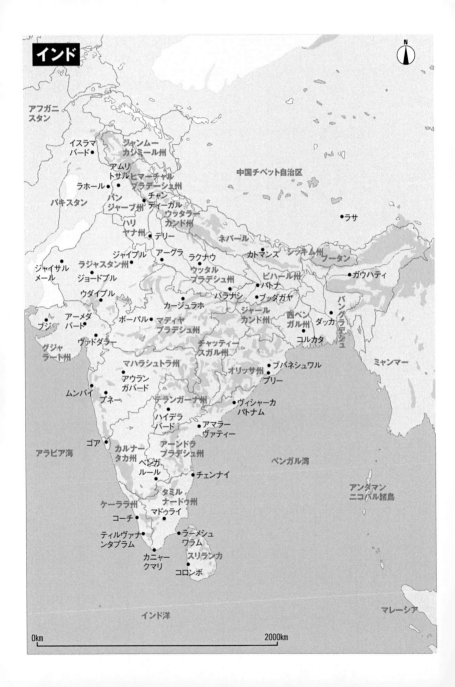

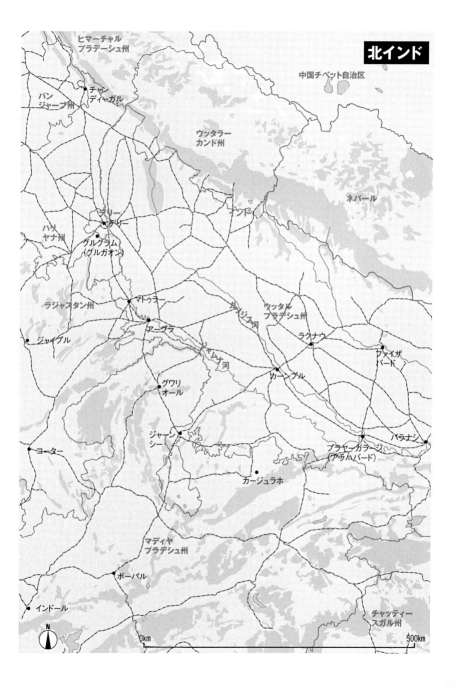

北インド

ヒマーチャル
プラデーシュ州

中国チベット自治区

パン
ジャーブ州

チャン
ディーガル

ウッタラー
カンド州

ネパール

インド

ハリ
ヤナ州

デリー

グルグラム
(グルガオン)

ラジャスタン州

マトゥラー

ガンジス河

ウッタル
プラデシュ州

アーグラ

ラクナウ

ジャイプル

ジャムナ河

ファイザ
バード

グワリ
オール

カーンプル

ジャーン
シー

バラナシ

ヨーター

プラヤーガラージ
(アラハバード)

カージュラホ

マディヤ
プラデシュ州

ボーパル

インドール

チャッティー
スガル州

N

0km   500km

Introduction

インドの門と首都三千年

インド北西部に位置する首都デリー
この地では、いくどとなく都が造営されてきた
「インドの門」と呼ばれる宿命の地

現代インドの首都

　ムンバイ、チェンナイ、コルコタとならんでインド四大
都市にあげられるデリー。前者の三都市が近代まで小さ
な漁村に過ぎず、イギリス統治の拠点として急激な発展
を見せてきたのに対し、デリーは紀元前にさかのぼる歴
史を有している。12世紀以降のデリー・サルタナット朝、
16世紀以降のムガル帝国の都がおかれ、1947年以後はイ
ンド共和国の首都となった。街中には宮廷、モスクなど
の遺跡が多く見られ、ラール・キラ、フマユーン廟、クトゥ
ブ・ミナールの3つの世界遺産を抱えている。現在ではグ
ルグラムやノイダといった衛星都市もふくむ巨大なデ
リー首都圏を構成している。

デリー、その位置

　中央アジア、ペルシャから繰り返しインドへ侵入して
きた異民族が、まず拠点としたのがデリーの地で、道はガ
ンジス河中流域、ベンガル、ラジャスタン、南インドへと
続いている。またガンジス河とジャムナ河にはさまれ、肥
沃な穀倉地帯を後背地にもつため、経済的に優れた地で
もあった。ジャムナ河西側の岩盤地帯に場所を変えなが

世界遺産のフマユーン廟、タージ・マハルのもとになったという

リキシャが足代わりになる、オールド・デリーにて

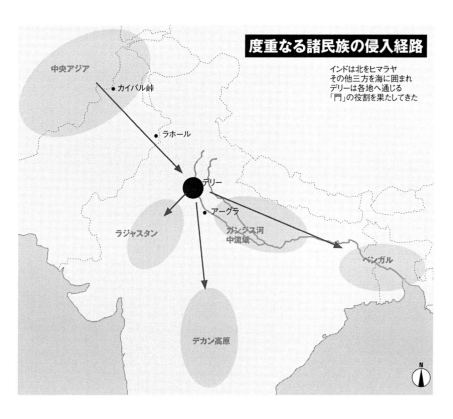

度重なる諸民族の侵入経路

インドは北をヒマラヤ
その他三方を海に囲まれ
デリーは各地へ通じる
「門」の役割を果たしてきた

中央アジア

カイバル峠

ラホール

デリー

アーグラ

ラジャスタン

ガンジス河
中流域

ベンガル

デカン高原

N

ら、いくつもの都が造営されてきた。8世紀のラージプー
ト族の都ラールコート、デリー・サルタナット朝時代(13
〜16世紀)に造営されたトゥグルカーバード、フィローザ
バード、ムガル帝国のプラーナ・キラ、シャー・ジャハナー
バード(現在のオールド・デリー)などの都が知られる。

デリーという地名

　古く『マハーバーラタ』にはデリーと目されるインドラ
プラスタが描かれ、その後、この地にはラージプート族や
イスラム諸王朝の都が築かれてきた。デリーという名前
は、イスラム統治者のあいだで話されていたウルドゥー

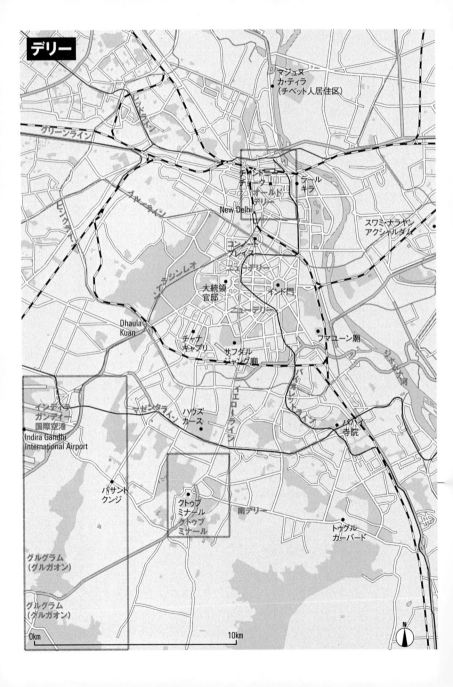

語で「門」を意味するデヘリに由来し、ヒンディー語では
ディッリーと発音されることが多い（10世紀以後ヒンディー語
にペルシャ語などの語彙がまじってウルドゥー語が徐々に形成された。両
者は日常会話に支障はない）。

デリーの構成

　デリーの街は、ジャムナ河の西岸に発展した。現在の
デリーにつながる中世の街は、南デリーのクトゥブ・ミ
ナールが立つあたりにあり、以後、繰り返し都が造営され
るようになった。17世紀、シャー・ジャハーン帝が築いた
ムガルの都が現在のオールド・デリーで、ムガルに続くイ
ギリスはその南側（中世のデリーとオールド・デリーのあいだ）に
ニュー・デリーを築いた。このニュー・デリーをとり囲む
ようにリングロードが走っているが、現在では郊外に向
けて街は拡大を続け、巨大なデリー首都圏をつくってい
る。

★★★
ラール・キラ *Lal Qila*
フマユーン廟 *Tomb of Humayun*
クトゥブ・ミナール *Qutb Minar*
★★☆
インド門 *India Gate*
スワミ・ナラヤン・アクシャルダム *Swaminarayan Akshardham*
バハイ寺院 *Bahai House of Worship*
★☆☆
ニュー・デリー駅 *New Delhi R.S.*
ジャムナ河 *Jamuna River*
チャナキャプリ *Chanakyapuli*
グルグラム（グルガオン） *Gurugram*

Old Delhi

オールドデリー城市案内

17世紀以来、王城がおかれていたオールド・デリー
香辛料が積みあげられたバザールやリキシャ
デリーらしさを伝える下町の姿

オールド・デリー ★★★
Old Delhi／ⓔ पुरानी दिल्ली／ⓗ પુરાની દિલ્હી／ⓤ پرانی دلی

　ニュー・デリー駅の北東、扇状に広がるオールド・デリーは、17世紀、インドの大部分を統一したムガル帝国の都シャージャハナーバード跡として知られる。宮廷ラール・キラ、インド最大規模をもつジャマー・マスジッドなどはいずれもムガル帝国時代に建てられたもので、チャンドニー・チョウクはその当時からの伝統をもつ。20世紀初頭にイギリスがニュー・デリーを造営したため、この街は「古いデリー」と呼ばれるようになり、経済発展のさなかにあるデリーにあって、「旧き良きデリー」を感じられる。

ラール・キラ ★★★
Lal Qila／ⓔ लाल किला／ⓗ લાલ કિલ્લા／ⓤ لال قلعہ

　オールド・デリーの要に位置するラール・キラ(レッド・フォート、赤い城)。インド原産の赤砂岩をもちいて築城されたところから、この名前がつけられた。17世紀、ムガル帝国第5代シャー・ジャハーン帝(タージ・マハルの建設でも知られる)の治世に建設され、以後、19世紀までムガル帝国の宮廷がおかれていた。造営当時のデリーの繁栄は遠くヨーロッパでも知られ、ラール・キラは「地上の天国」にも

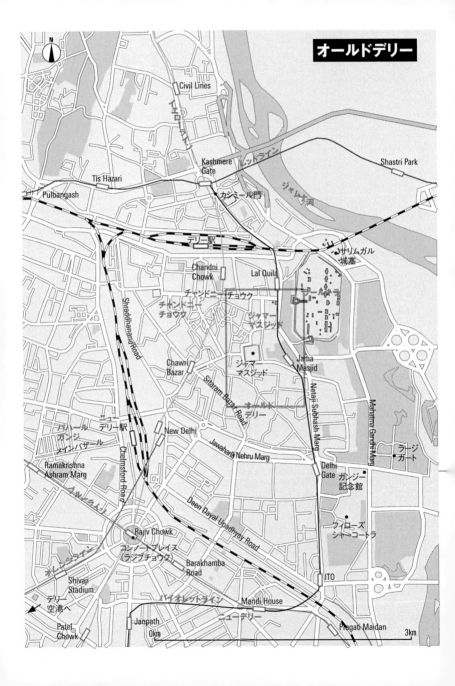

たとえられていた。現在、世界遺産に登録されている。

サリムガル城塞 ★☆☆
Salimgarh Fort／ⓗ सलीमगढ़ किला　ⓟ ਸਲੀਮਗੜ ਕਿਲਾ　ⓤ قلعه سليم گڑھ

　ラール・キラの北側に立つサリムガル城塞。デリー北
側の守りを固めるために16世紀に建てられたもので、ム
ガル帝国時代には牢獄として利用されていた。ラール・キ
ラとともに世界遺産に指定されていて、城内は博物館と
なっている。

チャンドニー・チョウク ★★☆
Chandni Chowk／ⓗ चाँदनी चौक／ⓟ ਚਾਂਦਨੀ ਚੌਕ　ⓤ چاندنی چوک

　ラール・キラから西に向かってまっすぐ伸びるチャン
ドニー・チョウク。ここはシャー・ジャハナーバード(オー
ルド・デリー)の造営にあたって、目抜き通りとして設計され
た通りで、オールド・デリーの軸線となっている。周囲は
いくつものバザールが走っていて、宝石や貴金属を売る
店、サリーの生地などを売る店などがならぶ。

★★★
オールド・デリー *Old Delhi*
ラール・キラ *Lal Qila*
★★☆
チャンドニー・チョウク *Chandni Chowk*
ジャマー・マスジッド *Jamma Masjid*
ラージ・ガート *Raj Ghat*
パハール・ガンジ(メイン・バザール) *Pahar Ganj*
コンノート・プレイス *Connaught Place*
★☆☆
サリムガル城塞 *Salimgarh Fort*
ジャムナ河 *Jamuna River*
ガンジー記念館 *Gandhi Memorial Museum*
ニュー・デリー駅 *New Delhi R.S.*

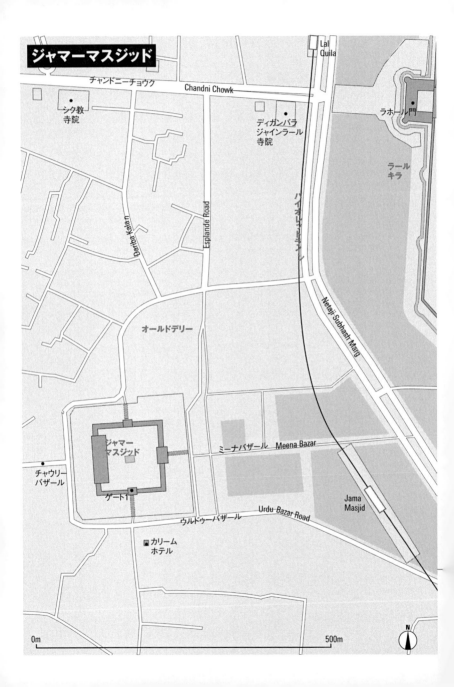

ジャマー・マスジッド ★★☆

Jamma Masjid ／ Ⓗ जामा मस्जिद ／ Ⓐ জামা মসজিদ ／ Ⓤ جامع مسجد

　　オールド・デリー中央部の小高い丘に立つジャマー・マスジッド。17世紀のムガル帝国時代、王族や支配者たちの信仰するイスラム教の礼拝のために建てられた。金曜日の集団礼拝では、2万5000人を収容できるという規模をもち、3つのドームが連なる本体はムガル建築の代表作にもあげられる。ミナレットにあがることができ、ここからオールド・デリーの街が一望できる。

南アジアの覇者ムガル帝国

　　ムガル帝国は中央アジアからインドに進出して1526年に樹立された。最盛期、ムガル帝国の領土は北インド、中央アジアからデカン高原にまで広がり、デリー、アーグラ、ラホール(パキスタン)などに宮廷がおかれた。インド中から富を集めたムガル帝国の豊かさは、遠くヨーロッパにまで知られ、多くのキャラバンがデリーを訪れていた(たとえば、古くダイヤモンドはインドでしか採掘されていなかった)。こうした莫大なインドの富を背景に、ラール・キラやタージ・マハルといった巨大建築が造営され、現在もその栄華を伺うことができる。

ジャムナ河 ★☆☆

Jamuna River ／ Ⓗ यमुना नदी ／ Ⓐ যমুনা নদী ／ Ⓤ جمنا دریا

　　ジャムナ河の恵みで育まれてきたデリー。デリーを通ってマトゥラー、アーグラを経て、ガンジス河に合流す

***

★★★
オールド・デリー *Old Delhi*
ラール・キラ *Lal Qila*
★★☆
チャンドニー・チョウク *Chandni Chowk*
ジャマー・マスジッド *Jamma Masjid*

オールド・デリーの目抜き通りチャンドニー・チョウク

ムガル皇帝が暮らしたラール・キラ

インド有数の規模をもつモスクのジャマー・マスジッド

るジャムナ河は、女神としても信仰され、ガンジス河の次に聖性が高い河だと考えられている。かつてはラール・キラのすぐ東側を流れていたという。

ラージ・ガート ★★☆
Raj Ghat／ⓣ राज घाट／Ⓗ राज घाट／ⓤ راج گھاٹ

　ラージ・ガートは「インド独立の父」ガンジーが茶毘にふされた場所。ガンジーは非暴力、不服従を掲げて、1947年にイギリス支配からの独立をなしとげたが、その翌年、過激派によって暗殺された。ここラージ・ガートは公園となっていて、なかには黒大理石のモニュメントがおかれている。

ガンジー記念館 ★☆☆
Gandhi Memorial Museum／ⓣ गांधी म्यूज़ियम／Ⓗ गांधी मेमोरीअल अजाएिब घर／ⓤ گاندھی میموریل میوزیم

　ラージ・ガートのはす向かいに立つガンジー記念館。イギリスに留学して弁護士となり、南アフリカ時代を経て、インドに帰国し、独立運動に身を投じたガンジーの生涯が展示されている。ガンジーゆかりの品々が見られ、暗殺に使われた拳銃もある。

「チャロー! デリー」インド大反乱

　近代、イギリスの植民地となり、高い税などで富を搾取されていたインドの人々の不満は高まっていた。1857年、その怒りがデリー北のメーラトのセポイ(傭兵)のあいだで爆発し、イギリスへの反乱ののろしがあがった。セポイたちが目指したのは、皇帝とは名ばかりで年金生活を送る地主になりさがっていたムガル皇帝バハドゥル・シャー2世のいるラール・キラ。「チャロー! デリー」のかけ声とともに進軍したセポイの反乱は2年間で鎮圧され、

さまざまな職業、宗教の人々がこの街に暮らす

ラージ・ガートはガンジーが荼毘にふされた場所

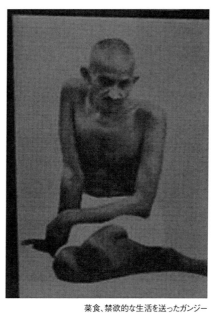

菜食、禁欲的な生活を送ったガンジー

ムガル帝国は完全についえることになった。けれどもこの反乱はインド独立へつながる民衆反乱として、現在では高く位置づけられている。

New Delhi

ニューデリー城市案内

20世紀に入ってから計画された都市ニュー・デリー
緑地、公園、街路樹をふんだんに配し
ゆったりとした街並みが広がっている

ニュー・デリー ★★★

New Delhi／ⓗ नई दिल्ली／ⓐ ਨਵੀਂ ਦਿੱਲੀ／ⓤ نئی دلی

　1947年のインド独立以来、首都がおかれ、インドの政治、外交、経済、文化の中心地となっているニュー・デリー。もともとイギリス植民地下につくられた計画都市で、1930年からムガル王城のあった場所に代わって都市機能をもつようになった（コルカタから遷都され、「新しいデリー」と名づけられた）。大統領官邸から東のインド門へとまっすぐ伸びるラージ・パトゥ（王の道）。それと直交するジャン・パトゥ（民の道）。円形ロータリー、コンノート・プレイスから放射状に広がる道と、直線の街路が交わり、緑地が配された美しい街並みが続いている。

ニュー・デリー駅 ★☆☆

New Delhi R.S.／ⓗ नई दिल्ली रेलवे स्टेशन／ⓐ ਨਵੀਂ ਦਿੱਲੀ ਰੇਲਵੇ ਸਟੇਸ਼ਨ／ⓤ نئی دلی ریلوے اسٹیشن

　インド各地への玄関口にあたるニュー・デリー駅。オールド・デリーとニュー・デリーをわけるように線路が走っている。ムンバイ、アーグラ、バラナシなどインド各地への足がかりとなる場所で、構内は早朝から人であふれ、客引きをはじめとする人々が押し寄せてくる。

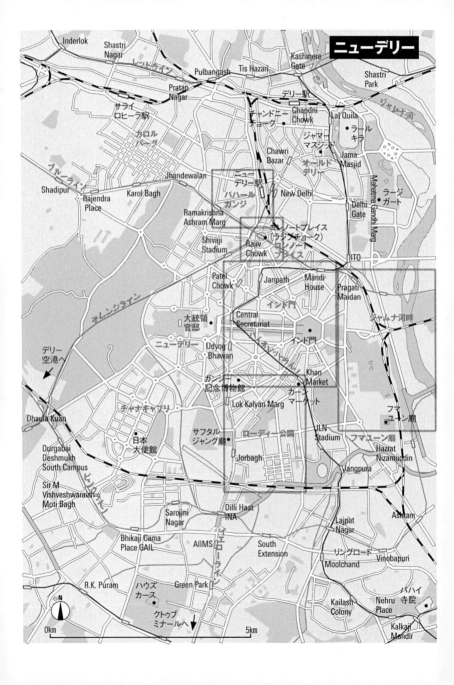

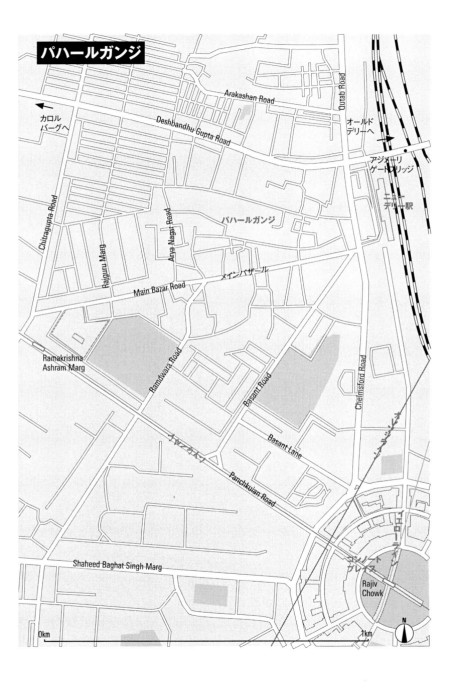

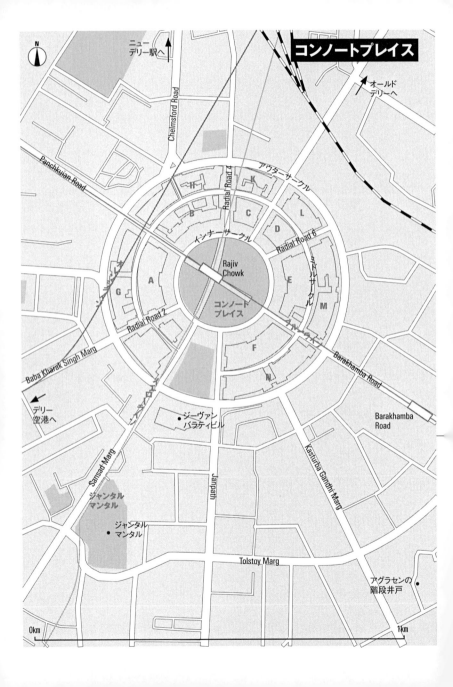

パハール・ガンジ(メイン・バザール) ★★☆

Pahar Ganj／Ⓔ पहाड़गंज／Ⓗ पहाड़ गंज (मुख्य बज़ार)／Ⓤ گنج پہاڑ

　ニュー・デリー駅の西側に位置するパハール・ガンジ（「山の市場」を意味する）。その目抜き通りがメイン・バザールで、旅行代理店、安宿、レストランなどがならび、世界中から観光客が訪れている。

コンノート・プレイス ★★☆

Connaught Place／Ⓔ कनॉट प्लेस／Ⓗ कनाट पलेस／Ⓤ کناٹ پلیس

　ニュー・デリーの起点となる円形ロータリー、コンノート・プレイス。中央は公園となっていてくつろぐ人々が見られるほか、周囲には2階建ての商店がならぶ。ここから街路が放射状に伸びている。

ジャンタル・マンタル(天文観測所) ★☆☆

Jantar Mantar／Ⓔ जंतर संतर／Ⓗ जैंतर-मैंतर／Ⓤ منتر جنتر

　ジャンタル・マンタルはムガル帝国時代の1724年に建設された天文観測所。天文学や文学など幅広い学問に通じたジャイプル(ラジャスタン)のマハラジャ、ジャイ・シン2世によるもの。時刻を知らせる日時計、三角形や円筒形を

イギリス統治時代の面影を残すコンノート・プレイス

水分補給はかかせない

ニュー・デリーの中心部に立つインド門

インド美術の至宝をおさめる国立博物館

世界中から旅人が集まるパハール・ガンジ

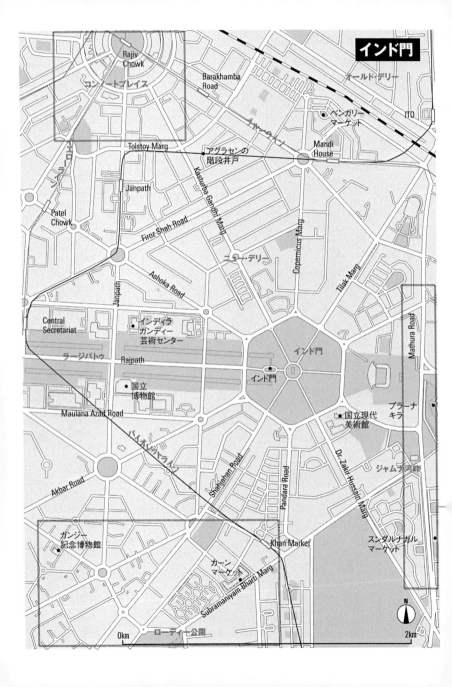

くみあわせた天文機器が見られる。ほかにもマハラジャ
はジャイプル、ウッジャイン、マトゥラー、バラナシなど
にもジャンタル・マンタルを建設している。

インド門 ★★☆
India Gate ／ⓗ इण्डिया गेट／ⓐ ਇੰਡੀਆ ਗੇਟ／ⓤ انڈیا گیٹ

　大統領官邸と向きあうように立つ高さ42mのインド
門。アーチ型のたたずまいはデリーを象徴する建造物と
なっている。もともとは第一次世界大戦で戦死した10万
人近いインド兵を追悼するために建てられた（当時、インド
はイギリスの植民地だったため、イギリス軍として戦った）。

国立博物館 ★★☆
National Museum／ⓗ राष्ट्रीय संग्रहालय／ⓐ ਰਾਸ਼ਟਰੀ ਅਜਾਇਬ ਘਰ／
ⓤ قومی میوزیم

　紀元前のインダス文明にさかのぼるインド美術品を
おさめた国立博物館。現在インドの国旗にも描かれて
いるアショカ王の柱頭の獅子彫刻、仏教芸術の至宝バー
ルフットの欄楯、ガンダーラやマトゥラー美術を花開か
せたクシャン朝時代の仏像、グプタ朝時代の柔和なヒン
ドゥー彫刻などがみどころとなっている。

★★★
ニュー・デリー *New Delhi*
オールド・デリー *Old Delhi*
★★☆
インド門 *India Gate*
国立博物館 *National Museum*
ガンジー記念博物館 *Gandhi Smriti Museum*
コンノート・プレイス *Connaught Place*
★☆☆
カーン・マーケット *Khan Market*
プラーナ・キラ *Purana Qila*

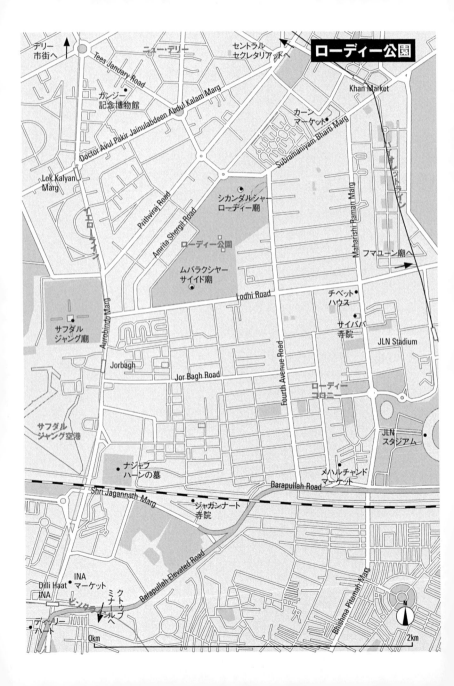

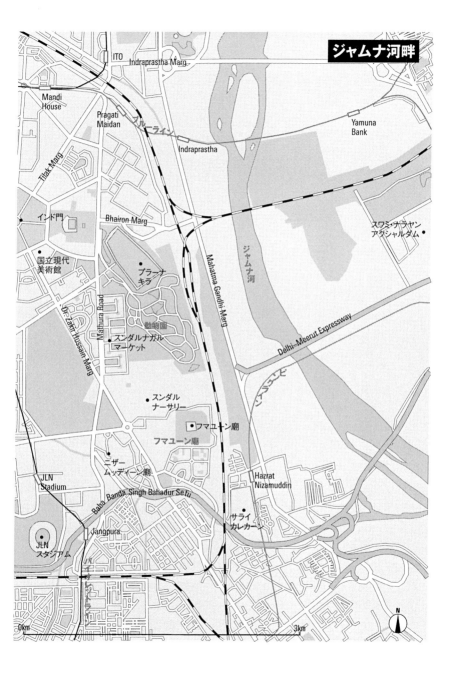

ジャムナ河畔

ITO
Indraprastha Marg
Mandi House
Pragati Maidan
ブルーライン
Indraprastha
Yamuna Bank
Tilak Marg
Bhairon Marg
インド門
スワミ・ナラヤン
アクシャルダム
国立現代美術館
Dr. Zakir Hussain Marg
Mathura Road
プラーナ・キラ
動物園
スンダルナガル マーケット
ジャムナ河
Mahatma Gandhi Marg
Delhi—Meerut Expressway
ニューデリー
スンダル ナーサリー
フマユーン廟
フマユーン廟
ニザームッディーン廟
JLN Stadium
Hazrat Nizamuddin
Baba Banda Singh Bahadur Setu
サライ カレカーン
JLN スタジアム
Jangpura
バイパス

0km
3km
N

ガンジー記念博物館 ★★☆

Gandhi Smriti Museum ⓗ गांधी स्मृति ⓐ ਗਾਂਧੀ ਸਮ੍ਰਿਤੀ ਅਜਾਇਬ ਘਰ ⓤ گاندھی سمرتی

「インド独立の父」ガンジーが1948年に暗殺された場所に立つガンジー記念博物館。バプー（父）と愛称で呼ばれたガンジーに関する展示が見られる。暗殺されたその日、礼拝へ向かおうとしたガンジー最後の足あとが刻まれている（ガンジーは狂信的なヒンドゥー教徒に暗殺された）。

ガンジーの独立運動

非暴力、不服従でインドを独立に導いたガンジーは、西インドのグジャラート州で生まれた。イギリス植民地下で工業化されたイギリスの商品を買うのではなく「服をつくるため、自ら糸をつむぐ」、イギリスが専売とした塩を「海岸まで行進して自ら塩をつくる（塩の行進）」といった人々の生活に根づいた衣食などを通じて独立運動を展開した。洋服を着ず、腰巻き姿のガンジー像は広く知られ、現在ではインドの紙幣にガンジーの肖像が使われている。

デリー街角の屋台にて

美しいたたずまいを見せるフマユーン廟

イスラム聖者をまつるニザームッディーン廟

最後の日、ガンジーはこの道を歩んだ

オールド・デリーよりも古い都プラーナ・キラ

カーン・マーケット ★☆☆

Khan Market ⓔ खान मार्किट／Ⓐ খান মারকীট／ⓤ خان مارکیٹ

　デリーでも比較的豊かな人々が集まるカーン・マーケット。雑貨や衣料のショップ、カフェやバーなどがならぶ。

プラーナ・キラ ★☆☆

Purana Qila／ⓔ पुराना किला／Ⓐ ਪੁਰਾਣਾ ਕਿਲਾ／ⓤ پرانا قلعہ

　「古い城砦」を意味するプラーナ・キラ。ラール・キラが造営される以前、ムガル帝国第2代フマユーン帝と、ムガル帝国と覇権を争ったスール朝のシェール・シャーの時代の城砦。フマユーン帝が薬物使用中に階段から滑り落ちて生命を落としたシェール・マンディル、スール朝時代のキラーイ・クナ・モスクなど16世紀に建てられた建物が残る。またここプラーナ・キラは古代叙事詩『マハーバーラタ』に描かれた「古(いにしえ)の都」インドラプラスタがおかれた場所だと言われ、デリーの悠久の歴史を物語る遺構となっている。

フマユーン廟 ★★★

Tomb of Humayun／ⓔ हुमायूँ का मकबरा Ⓐ ਹੁਮਾਯੂੰ ਦੀ ਕਬਰ／ⓤ مقبرہ ہمایوں

　ムガル帝国第2代フマユーン帝の墓廟。16世紀にムガル帝国を樹立したバーブル帝を継いで即位したフマユーン帝は、帝国の支配基盤が固まっていなかったことから、政治や外交の面では大きな成果をあげられなかった。けれどもこの墓廟は、ムガル建築の傑作のひとつにあげられ、バランスのとれたドームと本体、線対称の美、白大理石と赤砂岩を使って装飾された壁面をもつ。タージ・マハルのモデルになったと言われ、世界遺産に登録されている。

ニザームッディーン廟 ★★☆

Nizam-ud-din's Shrine／ⓗ निज़ामुद्दीन दरगाह／
ⓟ ਨਿਜ਼ਾਮ-ਉਦ-ਦੀਨ ਦਾ ਅਸਥਾਨ／ⓤ نظام الدین درگاہ

　13世紀にイスラム王朝がはじめて北インドに樹立され
た時代、イスラム教の布教につとめたニザームッディー
ン・アウリヤー。このイスラム聖者が道場を開いたのがこ
の場所で、貧しい人にほどこしをする姿などからイスラ
ム教徒だけでなく、ヒンドゥー教徒にも広く尊敬された。
現在、インドの外からも巡礼者を集めている。

スワミ・ナラヤン・アクシャルダム ★★☆

Swaminarayan Akshardham／ⓗ अक्षरधाम मंदिर／
ⓟ ਸਵਾਮੀਨਾਰਾਇਣ ਅਕਸ਼ਰਧਾਮ／ⓤ اکشردھام

　ジャムナ河の東岸に位置するスワミ・ナラヤン・アク
シャルダム。2005年に建設された世界最大のヒンドゥー
寺院として知られ、ボートに乗ってインドの歴史と文化
を学んだり、映画やミュージカルも上映される。多くのイ
ンド人が訪れている。

チャナキャプリ ★☆☆

Chanakyapuri／ⓗ चाणक्यपुरी／ⓟ ਚਾਣਕਯਪੁਰੀ／ⓤ چانکیاپوری

　大統領官邸の南西に位置する区画チャナキャプリ。静
かな街並みが広がっていて、各国の大使館が集中してい
る（日本大使館もある）。チャナキャとは「インドのマキャベ
リ」の異名をもつ古代インドの宰相名からとられている。

南デリー城市案内

オールド・デリー以前の都があった南デリー
近年、高級住宅街が整備され
衛星都市グルガオンの発展もめざましい

七度の都

　古来、いくつもの民族の都がおかれてきたデリー。古くは紀元前10世紀ごろ、インドにヴェーダの宗教（バラモン教）をもたらしたアーリア人のインドラプラスタ（プラーナ・キラに比定される）にはじまって、8〜12世紀にはこの地を支配したラージプート族の都ラールコートがおかれた。中世以降はイスラム勢力の支配拠点となり、トゥグルカーバード、フィローザバードなどの都が造営され、オールド・デリーはムガル帝国の都シャー・ジャハナーバード跡として知られる。このような歴史からデリーは、「七度の都」と呼ばれ、中世以来の史跡がいくつも残っている。

クトゥブ・ミナール ★★★

Qutb Minar Ⓗ कुतुब मीनार／Ⓟ ਕੁਤਬ ਮੀਨਾਰ／Ⓤ قطب مینار

　1192年にヒンドゥー勢力を破ってインドを征服したイスラム勢力によって建てられた高さ73mのクトゥブ・ミナール。軍を率いたクトゥブッディーン・アイバクは宮廷奴隷出身で、この地で奴隷王朝を樹立した（13〜16世紀はデリー・サルタナット朝の時代）。近くには「イスラムの力」を意味するクワット・アル・イスラム・モスクやクトゥブ・ミナールよりも高い150mのミナレットの基壇アライ・ミ

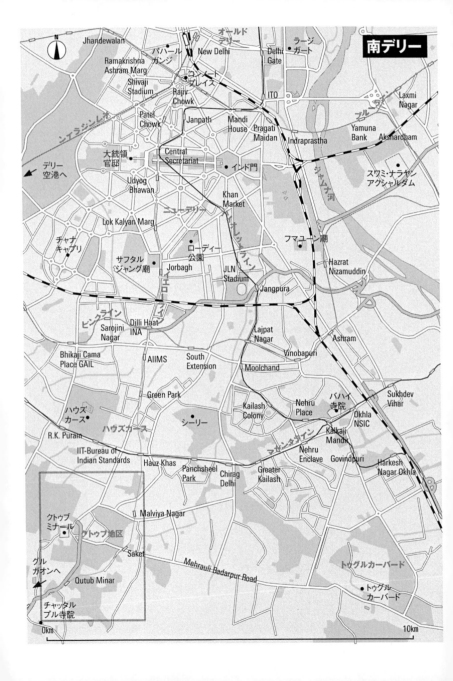

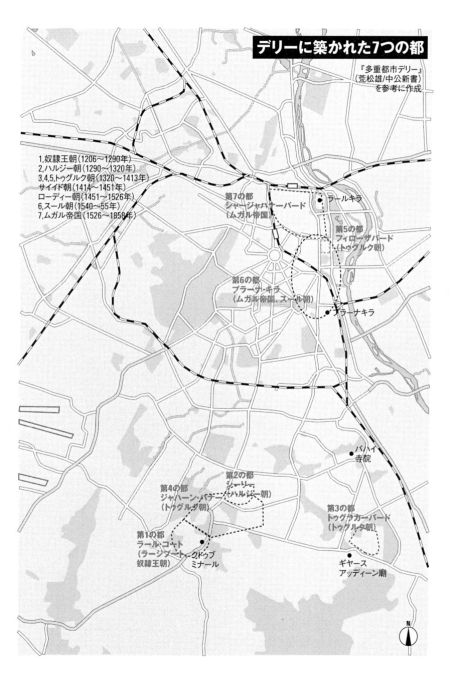

デリーに築かれた7つの都

『多重都市デリー』
（荒松雄/中公新書）
を参考に作成

1,奴隷王朝(1206〜1290年)
2,ハルジー朝(1290〜1320年)
3,4,5,トゥグルク朝(1320〜1413年)
サイード朝(1414〜1451年)
ローディー朝(1451〜1526年)
6,スール朝(1540〜55年)
7,ムガル帝国(1526〜1858年)

第7の都
シャージャハーナーバード
（ムガル帝国）

ラールキラ

第5の都
フィローザバード
（トゥグルク朝）

第6の都
プラーナ・キラ
（ムガル帝国、スール朝）

プラーナキラ

バハイ
寺院

第2の都
シーリー
（ハルジー朝）

第4の都
ジャハーン・パナー
（トゥグルク朝）

第3の都
トゥグラカーバード
（トゥグルク朝）

第1の都
ラール・コート
（ラージプート、クドゥブ
奴隷王朝）
ミナール

ギヤース
アッディーン廟

N

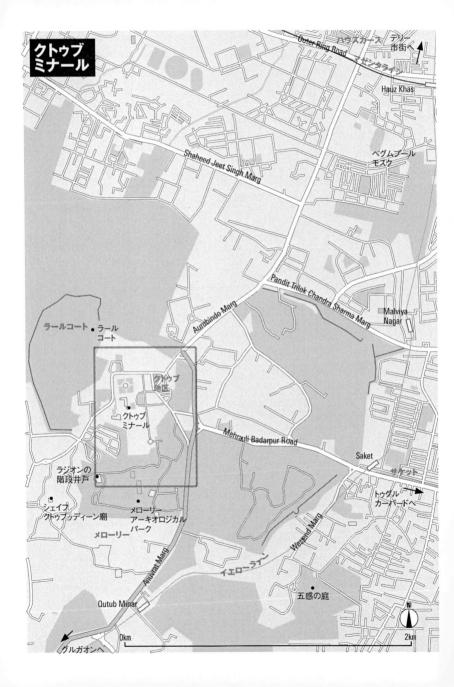

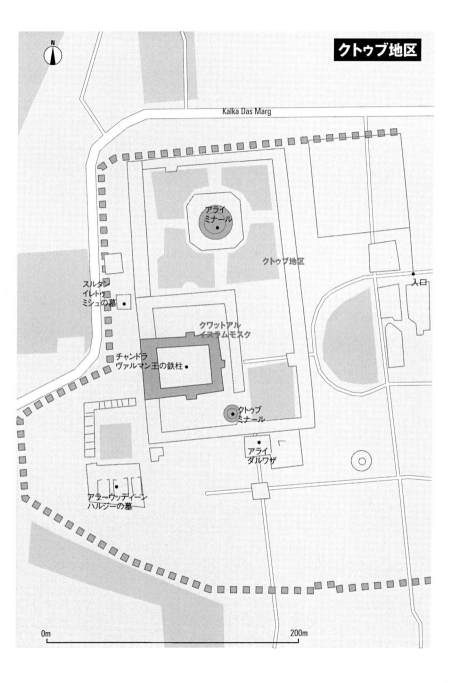

クトゥブ地区

N

Kalka Das Marg

アライ
ミナール

クトゥブ地区

スルタン
イルトゥト
ミシュの墓

クワットアル
イスラムモスク

チャンドラ
ヴァルマン王の鉄柱

クトゥブ
ミナール

アライ
ダルワザ

入口

アラーウッディーン
ハルジーの墓

0m   200m

ナール(未完成)、純度が100％に近いため酸化しないグプタ朝時代(4世紀)の鉄柱、奴隷王朝の名君第3代スルタン・イレトゥミシュの墓などが残る。これらの建設にあたってとり壊されたヒンドゥー寺院の石材がもちいられたと言われ、クトゥブ・ミナールは支配者の交代を誇示する戦勝記念塔だった。

征服された街

インドは10世紀以後、イスラム勢力の侵攻を本格的に受ける。デリー南のクトゥブ・ミナールはイスラム勢力が「インドの征服」を記念して建てた戦勝塔となっている。以後、イスラム王朝デリー・サルタナット朝(1206～1526年までデリーを都においた5つの王朝)が300年以上この街を中心に北インドを支配した。その後、ムガル帝国でも都となったことから、デリーの中近世はイスラム統治者とともにあったと言える。クトゥブ・ミナール、ラール・キラ、フマユーン廟は、いずれもイスラム教の遺跡となっている。

★★★
クトゥブ・ミナール Qutb Minar
フマユーン廟 Tomb of Humayun
ニュー・デリー New Delhi
オールド・デリー Old Delhi

★★☆
バハイ寺院 Bahai House of Worship
スワミ・ナラヤン・アクシャルダム Swaminarayan Akshardham
インド門 India Gate
コンノート・プレイス Connaught Place
パハール・ガンジ(メイン・バザール) Pahar Ganj

★☆☆
カーン・マーケット Khan Market
チャナキャプリ Chanakyapuri
ジャムナ河 Jamuna River

高さ73mの戦勝記念塔クトゥブ・ミナール

デリーでは中世以来いくども都が築かれてきた

急速な人口増加を見せるインドの子ども

蓮のかたちをしたバハイ寺院

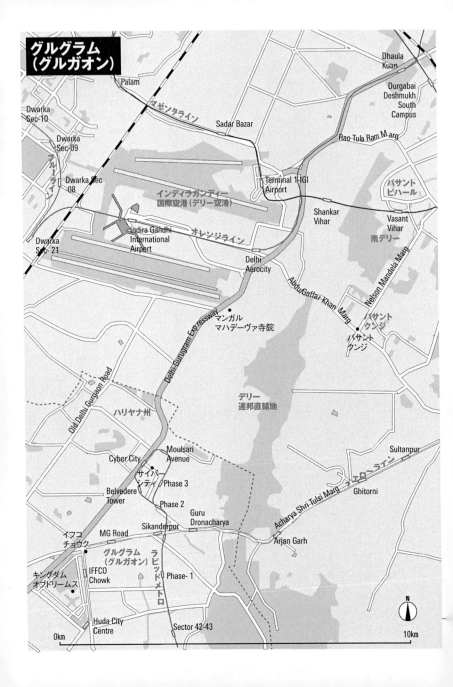

バハイ寺院 ★★☆
Bahai House of Worship ／ ⓔ ਲੋਟਸ ਟੈਂਪਲ ／ ⓗ बहाई पूजा घर (बहाई हाऊस ऑफ वरशिप) ／
ⓤ معبد کنول

　白い蓮のかたちをした巨大なバハイ寺院。世界の統合、宗教と科学の調和などを教義とするバハイ教は、インドでは200万人以上の信者を抱える。19世紀のイランで生まれ、現在、世界200カ国に広がっている。

成長を続けるデリー

　20世紀末からインドの経済成長を受けて、デリーでも旺盛な消費意欲をもった中流層が台頭するようになった。高い専門能力をもった人々は、インドの大手財閥や外資系企業で働き、デリー郊外の高層マンションで暮らすといった姿が見られる。デリー南部にはいくつもの高級住宅街が生まれ、それにともなって大型ショッピング・モールも開店するようになった。

グルグラム（グルガオン）★☆☆
Gurugram ／ ⓔ ਗੁਰੁਗ੍ਰਾਮ ／ ⓗ गुरुग्राम ／ ⓤ گروگرام

　デリーから南東32kmに位置する衛星都市グルグラム(ハリヤナ州)。20世紀末までは荒野が広がる農村地帯だったが、巨大ショッピング・モールがならび、外資系企業や大手企業のオフィスが集中するビジネス都市へと急速に発展をとげた。地下鉄や国道でデリー市街と結ばれ、デリー首都圏を構成している。

ムガル第5代シャー・ジャハーン帝によって築かれたラール・キラ

ヒンドゥー教の神々を描いた彫刻、国立博物館にて

城市のうつりかわり

神話時代にまでさかのぼるというデリーの歴史
イスラム征服王朝、大英帝国といった統治者をへて
現在、インド共和国の首都がおかれている

神話時代（紀元前10世紀ごろ）

　『マハーバーラタ』に描かれたバーラタ族の行末を決める一大決戦は、紀元前10世紀ごろデリー北方のクルで行なわれたとされる。この戦いに勝利したパーンドゥ族の都インドラプラスタがプラーナキラ（ニュー・デリー）にあり、のちのインドへ続いていったという。

古代インド時代（紀元前5〜後5世紀）

　紀元前10世紀ごろからインドに侵入していたアーリア人は、インド北西部からガンジス平原へ進出し、原住民との混血が進んでいた。紀元前5世紀ごろ、先進地だったガンジス河中流域にくらべて、デリーは北西の辺境地に過ぎず、このあいだにサカ族、クシャン族、フン族などの異民族が北西からデリー、インドへと侵入を繰り返していた。

ラージプートの時代（8〜12世紀）

　8世紀ごろからクシャトリヤの末裔を自認するラージプート族が台頭し、北インドはラージプート諸国家が割

拠する時代を迎えた(その多数は、サカ族やフン族などとともにインドに侵入した異民族を出自とするという)。8世紀ごろ、トマーラ・ラージプート族がデリー南部に拠点をおき、そのころの遺構スーラジクンド、ラールコートは今でも見られる。ラージプート諸族は11世紀以降、イスラム勢力の前に敗れていくが、中央アジアから見て「インドの門」にあたるデリーがこの時代にインド史の舞台に登場するようになった。

デリー・サルタナット朝時代(12〜16世紀)

イスラム勢力がインドに侵入するなか、1192年、ヒンドゥー王朝を破った将軍クトゥブッディーン・アイバクはデリーで政権を樹立し、イスラム統治者による奴隷王朝がはじまった。奴隷王朝からはじまって、ハルジー朝、トゥグルク朝、サイイド朝、ローディー朝とデリーを都に北インドを300年間支配したこれらの王朝はデリー・サルタナット朝と総称され、支配者はローディー朝をのぞいてトルコ系の人々だった(ローディー朝はアフガン系)。

ムガル帝国時代(16〜17世紀)

1526年、パニーパットの合戦でローディー朝を破ったバーブル帝はデリーからアーグラに入城してムガル帝国を樹立した。第3代アクバル帝の時代にその支配基盤は固まり、アーグラやラホールに宮廷がおかれていたが、第5代シャー・ジャハーン帝がシャー・ジャハナーバード(オールド・デリー)を造営して遷都したことで、以後、デリーはムガル王族の暮らす街となった。この時代のデリーでは、ヒンドゥー教とイスラム教が融合し、華やかなインド・イスラム文化が育まれた(世界遺産に登録されているラール・キラやフマユーン廟が造営された)。

オールド・デリーは17世紀以来の伝統をもつ

クトゥブ・ミナール、このあたりからデリーの歴史ははじまった

さまざまな調味料で味つけされたカレー

ヒンドゥー教、ジャイナ教、イスラム教、シク教といった宗教が共存する

ムガル帝国没落時代（18〜19世紀）

　第6代アウラングゼーブ帝以後、各地方の勢力が台頭し、ムガル帝国はデリー近郊に勢力を維持するだけになっていた。1739年、隣国ペルシャのナーディル・シャーがデリーに進軍し、「孔雀の玉座」などの至宝が略奪され、またインド西部のマラータが勢力を伸ばし、1752年、デリーに入城してムガル皇帝の保護者となった（デリーは荒廃し、ムガル宮廷文化はラクナウやハイデラバードへ移った）。ベンガルからインド中部に進出したイギリスは、第二次マラータ戦争でマラータ勢力に勝利して1803年にデリーを占領し、ラール・キラ北西に駐屯地がおかれた。

イギリス統治時代（19〜20世紀）

　1757年のプラッシーの戦い以後、勢力を伸ばしていたイギリスは、インド各地の徴税権をおさえ、綿や麦などインドの富を搾取し続けていた。このようなイギリス支配への不満から1857年に大反乱が起こり、インド全域を巻き込んで反イギリス闘争が行なわれたが、やがて鎮圧された。この大反乱の後、ムガル帝国は名実ともに滅亡し、1877年、ヴィクトリア女王を君主とするインド帝国（大英帝国を構成する）が建国された。20世紀初頭、イギリスの首都はコルカタからデリーへ遷され、イギリス風の都市ニュー・デリーが姿を現した。

インド共和国時代（1947年〜）

　イギリス統治に対し、19世紀末以降、民族自決の独立運動が盛りあがりを見せるようになり、ガンジーやネルーの国民会議派がその中心となっていた。ふたつの世界大戦を通じてイギリスは「名誉ある撤退」を決定、1947年8

月15日、インド共和国が成立してその首都がデリーにおかれた。インドが独立する前日、「イスラム教徒のインド」を自認する東西パキスタンが独立したために、イギリス領インドは分離独立することになった(インド・イスラムの伝統をもつデリーのイスラム教徒の多くがパキスタンへ移住した)。以後、デリーは南アジアの大国インドの首都として拡大を続け、現在ではニュー・デリーを中心にグルグラム(グルガオン)やノイダといった衛星都市も包括するデリー首都圏を形成している。

城市のうつりかわり

参考文献

『多重都市デリー』(荒松雄/中央公論社)

『インド』(辛島昇/新潮社)

『北インド』(辛島昇・坂田貞二/山川出版社)

『インド建築案内』(神谷武夫/TOTO出版)

『インド・カレー紀行』(辛島昇/岩波書店)

『世界大百科事典』(平凡社)

［PDF］デリー地下鉄路線図http://machigotopub.com/pdf/delhimetro.pdf

［PDF］デリー空港案内http://machigotopub.com/pdf/delhiairport.pdf

OpenStreetMap

(C)OpenStreetMap contributors

はじめてのデリー／チャロー！デリー

まちごとパブリッシングの旅行ガイド
Machigoto INDIA , Machigoto ASIA , Machigoto CHINA

まちごとパブリッシングの旅行ガイド

マカオ-まちごとチャイナ

Juo-Mujin（電子書籍のみ）

自力旅游中国Tabisuru CHINA

旅のインド文字

英語
ヒンディー語
パンジャーブ語
ウルドゥー語

デリー
Delhi

दिल्ली

ਦਿੱਲੀ

دہلی

オールド・デリー
Old Delhi

पुरानी दिल्ली

ਪੁਰਾਣੀ ਦਿੱਲੀ

پرانی دہلی

ラール・キラ
Lal Qila

लाल किला

ਲਾਲ ਕਿਲ੍ਹਾ

لال قلعہ

サリムガル城塞
Salimgarh Fort

सलीमगढ़ किला

ਸਲੀਮਗੜ੍ਹ ਕਿਲ੍ਹਾ

سلیم گڑھ قلعہ

チャンドニー・チョウク
Chandni Chowk

चाँदनी चौक

ਚਾਂਦਨੀ ਚੌਕ

چاندنی چوک

ジャマー・マスジッド
Jamma Masjid

जामा मस्जिद

ਜਾਮਾ ਮਸਜਿਦ

جامع مسجد

ジャムナ河
Jamuna River

यमुना नदी

ਜਮੁਨਾ ਨਦੀ

دریائے یامونا

ラージ・ガート
Raj Ghat

राज घाट

ਰਾਜ ਘਾਟ

راج گھاٹ

ガンジー記念館
Gandhi Memorial Museum

गांधी म्यूज़ियम

ਗਾਂਧੀ ਮੈਮੋਰੀਅਲ ਅਜਾਇਬ ਘਰ

گاندھی میوزیم

ニュー・デリー
New Delhi

नई दिल्ली

ਨਵੀਂ ਦਿੱਲੀ

نئَی دہلی

ニュー・デリー駅
New Delhi R.S.

नई दिल्ली रेलवे स्टेशन

ਨਵੀਂ ਦਿੱਲੀ ਰੇਲਵੇ ਸਟੇਸ਼ਨ

نئَی دہلی ریلوے اسٹیشن

パハール・ガンジ(メイン・バザール)
Pahar Ganj

पहाड़गंज

ਪਹਾੜ ਗੰਜ (ਮੁੱਖ ਬਜ਼ਾਰ)

پہاڑ گنج

コンノート・プレイス
Connaught Place

कनॉट प्लेस

ਕਨਾਟ ਪਲੇਸ

کناٹ پلیس

ジャンタル・マンタル(天文観測所)
Jantar Mantar

जंतर मंतर

ਜੰਤਰ-ਮੰਤਰ

جنتر منتر

インド門
India Gate

इण्डिया गेट

ਇੰਡੀਆ ਗੋਟ

باب ہند

国立博物館
National Museum

राष्ट्रीय संग्रहालय

ਰਾਸ਼ਟਰੀ ਅਜਾਇਬ ਘਰ

قومی میوزیم

ガンジー記念博物館
Gandhi Smriti Museum

गांधी स्मृति

ਗਾਂਧੀ ਸਮ੍ਰਿਤੀ ਅਜਾਇਬ ਘਰ

گاندھی سمرتی

カーン・マーケット
Khan Market

खान मार्किट

ਖਾਨ ਮਾਰਕੀਟ

خان مارکیٹ

プラーナ・キラ
Purana Qila

पुराना किला

ਪੁਰਾਣਾ ਕਿਲਾ

پرانا قلعہ

フマユーン廟
Tomb of Humayun

हुमायूँ का मकबरा

ਹੁਮਾਯੂੰ ਦੀ ਕਬਰ

مقبرہ ہمایوں

ニザームッディーン廟
Nizam-ud-din's Shrine

निज़ामुद्दीन दरगाह

ਨਿਜ਼ਾਮ-ਉਦ-ਦੀਨ ਦਾ ਅਸਥਾਨ

نظام الدین درگاہ

スワミ・ナラヤン・アクシャルダム
Swaminarayan Akshardham

अक्षरधाम मंदिर

ਸਵਾਮੀਨਾਰਾਇਣ ਅਕਸ਼ਰਧਾਮ

اکشردھام

チャナキャプリ
Chanakyapuri

चाणक्यपुरी

ਚਾਣਕਯਾਪੁਰੀ

چانکیاپوری

南デリー
South Delhi

दक्षिण दिल्ली

ਦੱਖਣੀ ਦਿੱਲੀ

جنوبی دہلی

クトゥブ・ミナール
Qutb Minar

कुतुब मीनार

ਕੁਤਬ ਮੀਨਾਰ

قطب مینار

バハイ寺院
Bahai House of Worship

लोटस टैंपल

ਬਹੈ ਪੂਜਾ ਘਰ (ਬਹੈ ਹਾਊਸ ਓਫ ਵਰਸ਼ਿਪ)

معبد کنول

グルグラム（グルガオン）
Gurugram

गुरुग्राम

ਗੁਰੂਗ੍ਰਾਮ

گروگرام

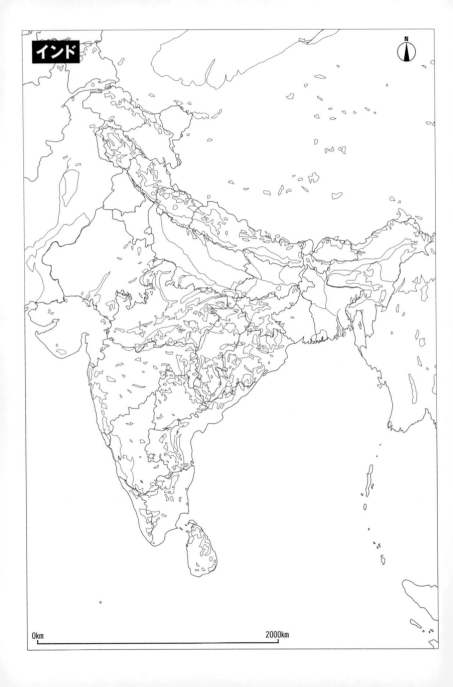

インド

N

0km　　　　　　　　　　　2000km

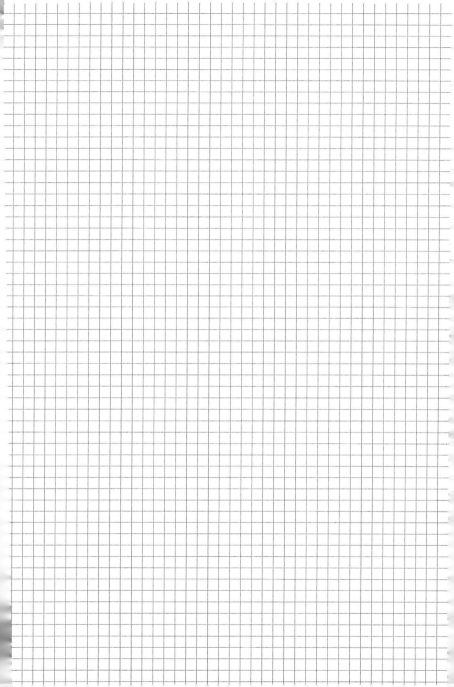

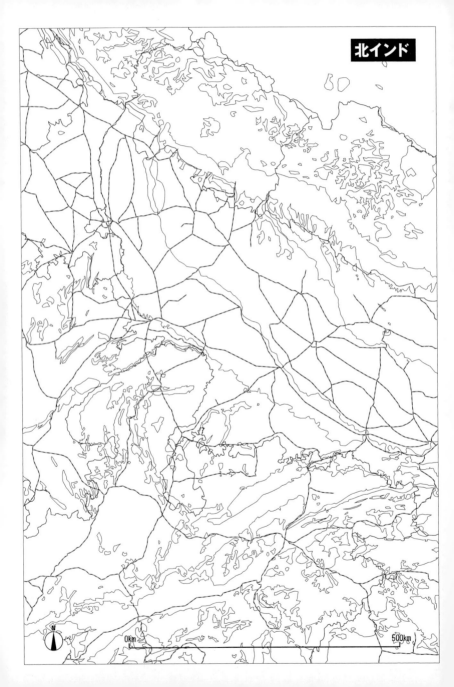

北インド

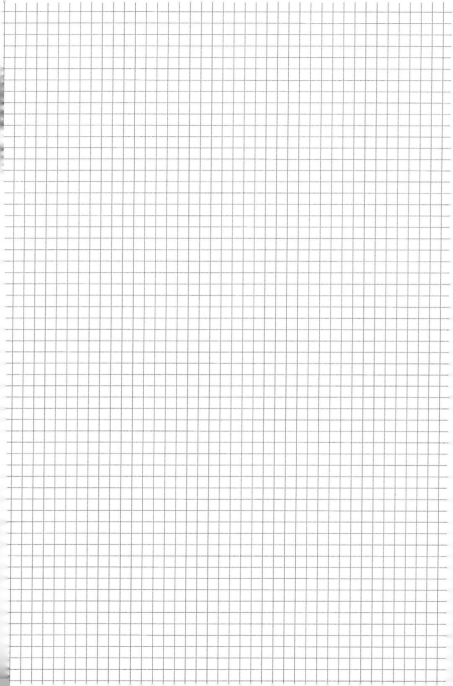

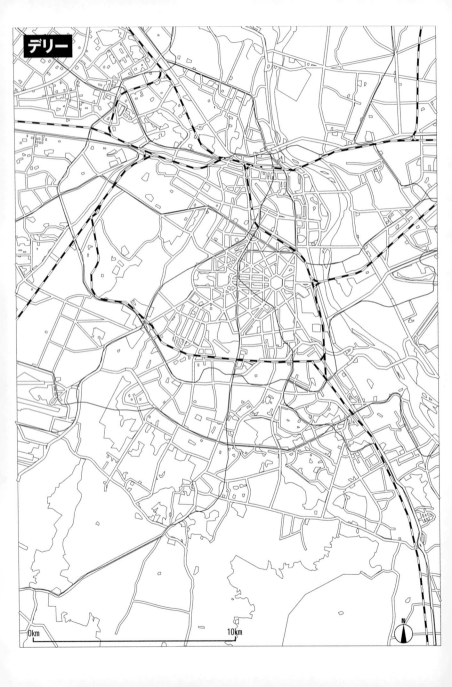

デリー

0km　　　　　　　10km

N

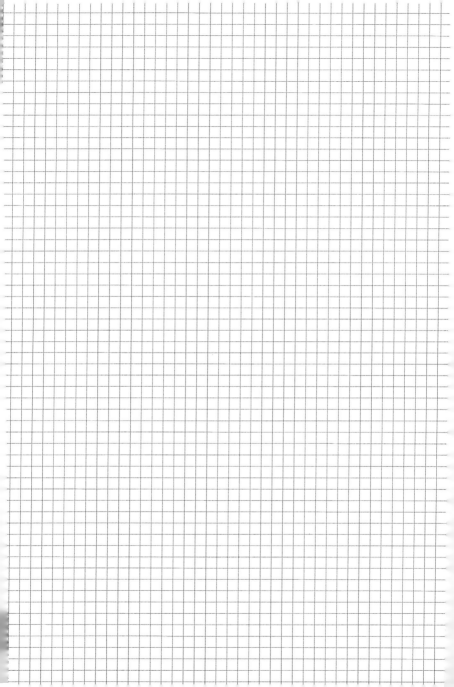

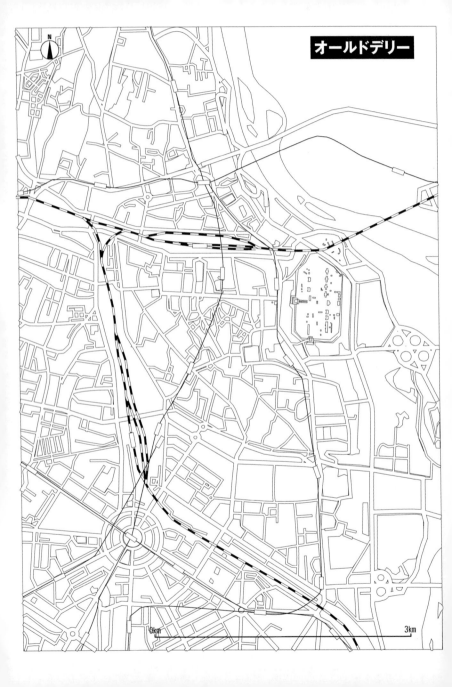

オールドデリー

N

0km　　　　　　　　　　　　　3km

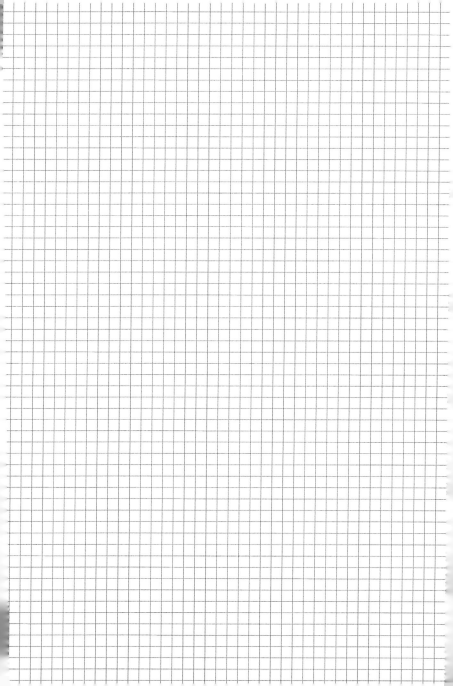

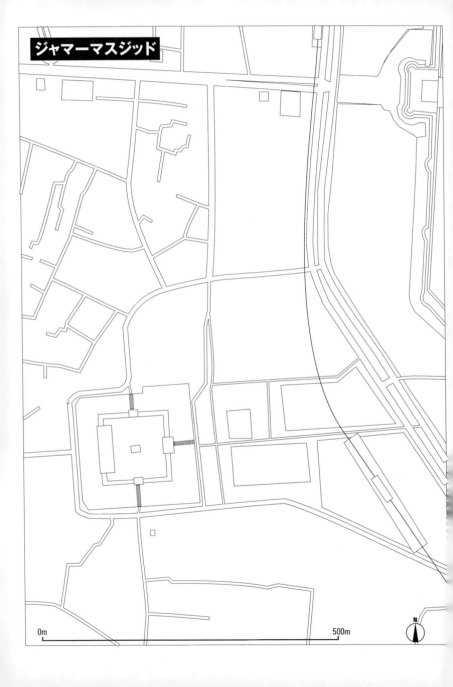

ジャマーマスジッド

0m　　　　　　　　　　　　　　　500m

N

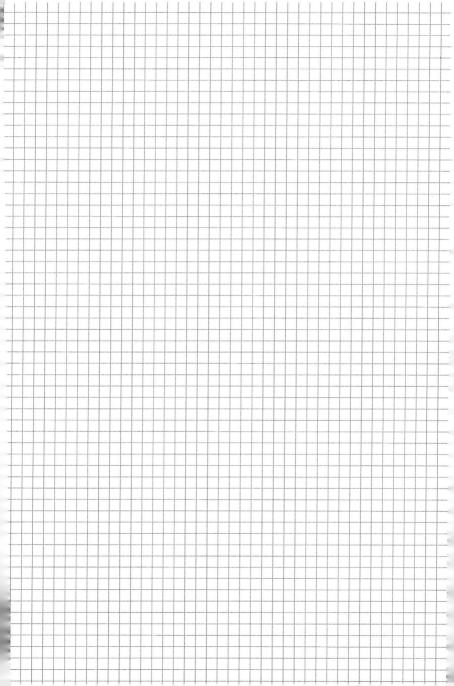

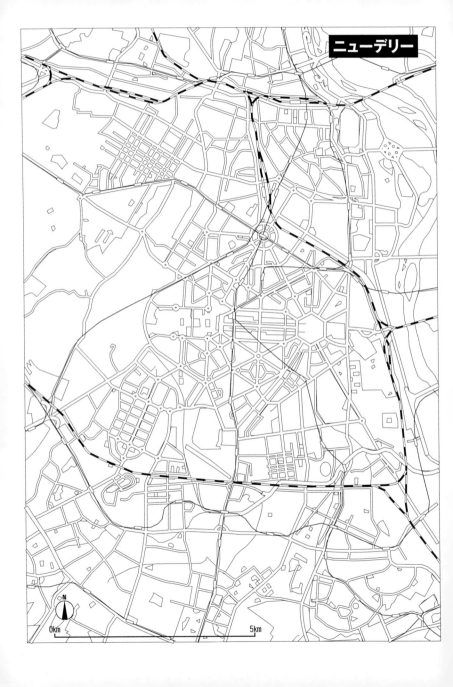

ニューデリー

0km   5km

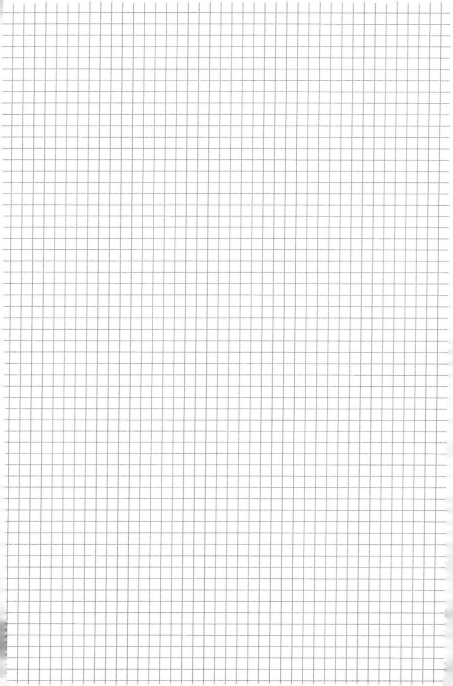

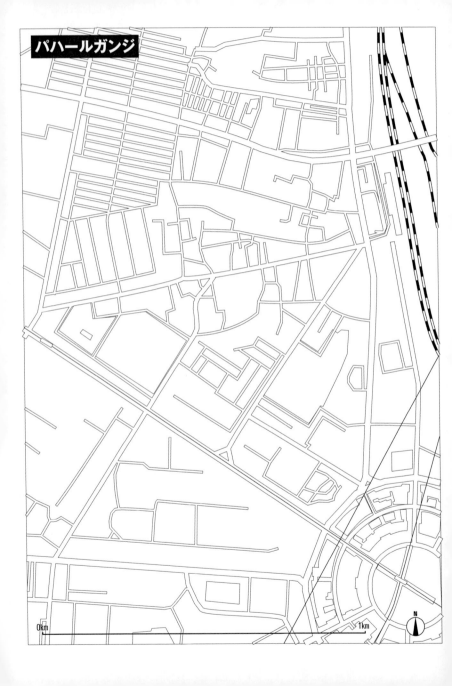

パハールガンジ

0km   1km

N

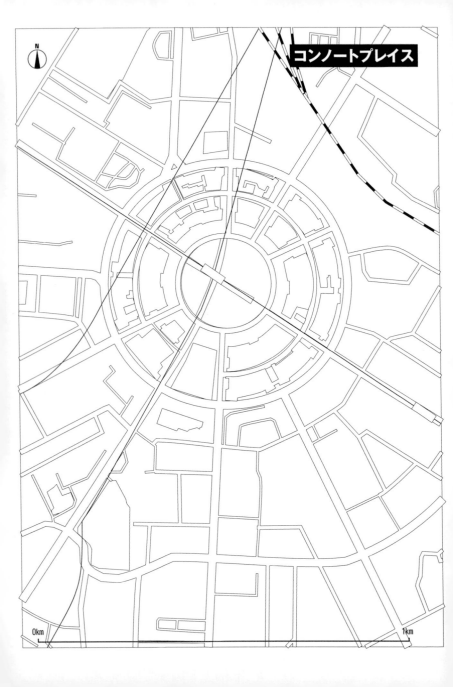

コンノートプレイス

N

0km   1km

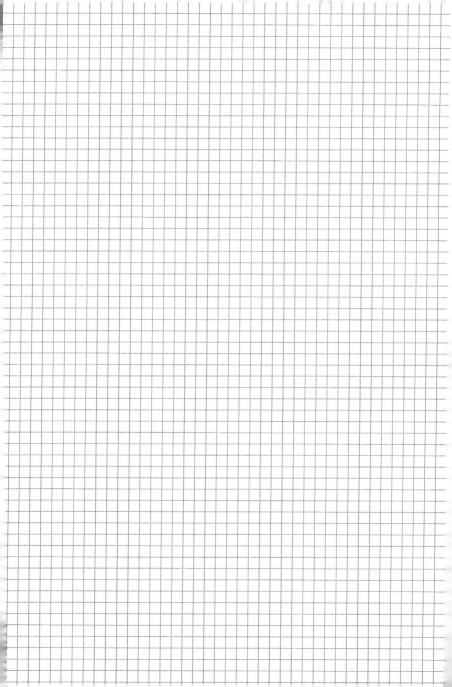

インド門

0km 2km

N

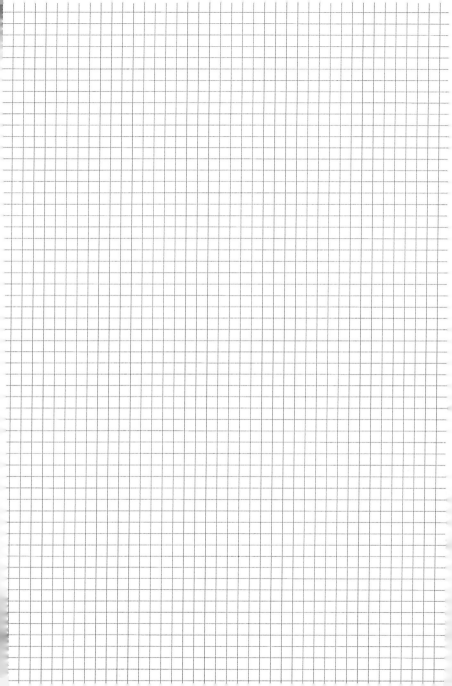

ローディー公園

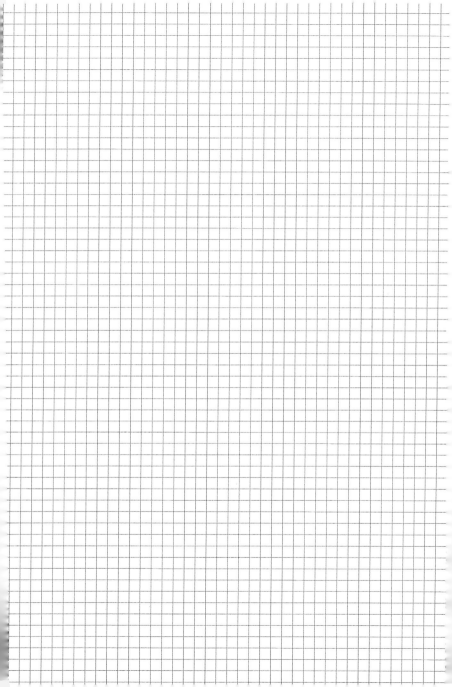

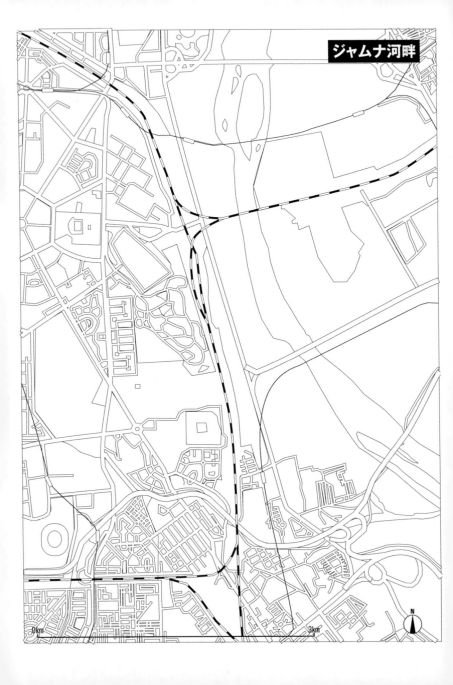

ジャムナ河畔

0km　　　　　　　　　　　3km

N

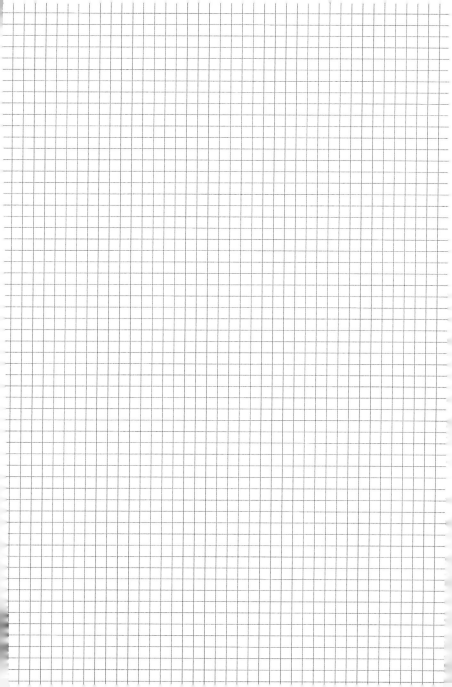

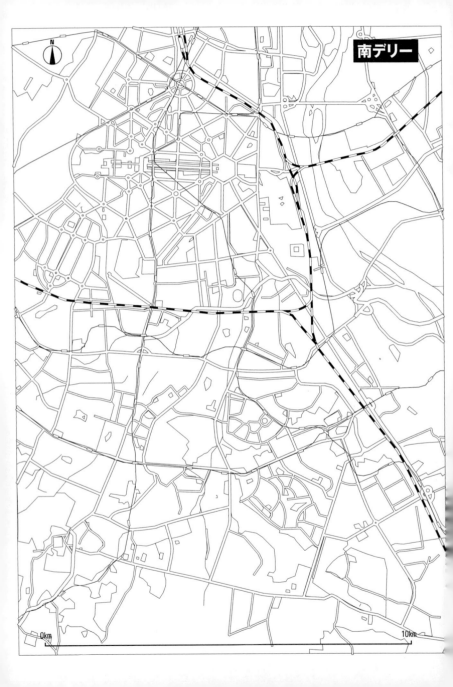

南デリー

N

0km   10km

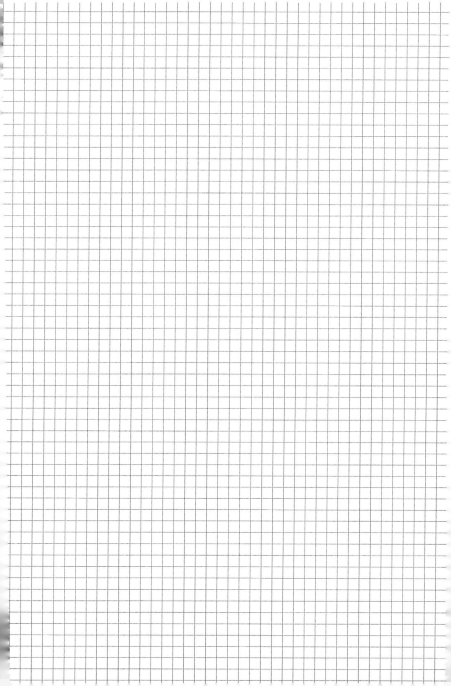

クトゥブ
ミナール

0km　　　　　　　　　2km

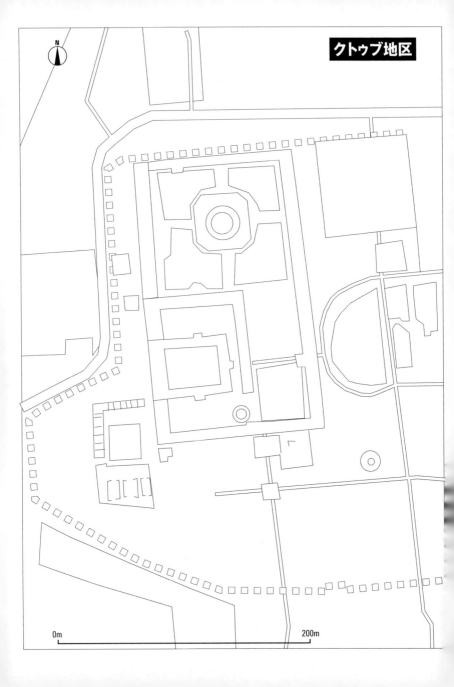

クトゥブ地区

N

0m   200m

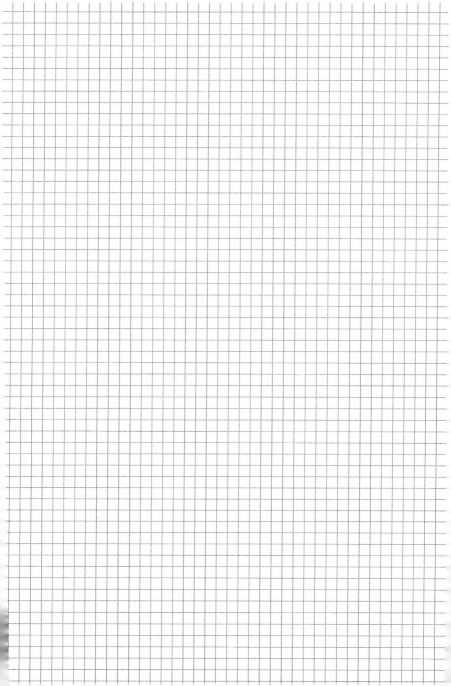

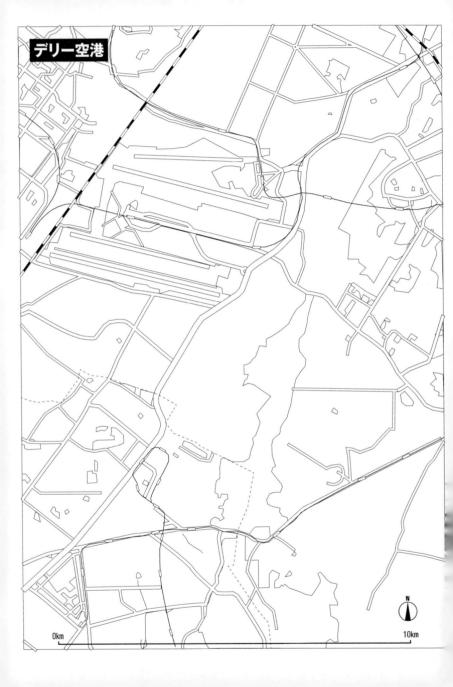

デリー空港

0km   10km

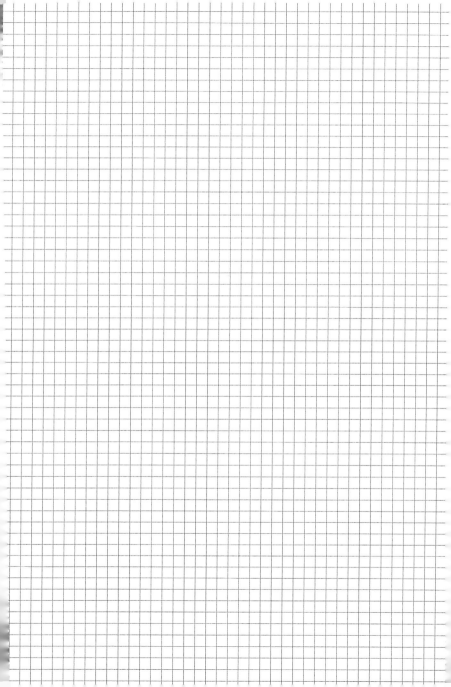

【車輪はつばさ】
南インドのアイラヴァテシュワラ寺院には
建築本体に車輪がついていて
寺院に乗った神さまが
人びとの想いを運ぶと言います

An amazing stone wheel of the Airavatesvara Temple
in the town of Darasuram, near Kumbakonam in the South India

まちごとインド
北インド 002

はじめてのデリー
チャロー! デリー
［モノクロノートブック版］

「アジア城市（まち）案内」制作委員会
まちごとパブリッシング
http://machigotopub.com

・本書はオンデマンド印刷で作成されています。
・本書の内容に関するご意見、お問い合わせは、発行元の
　まちごとパブリッシング info@machigotopub.com までお願いします。

まちごとインド
新版 北インド002はじめてのデリー
〜チャロー！デリー

2020年 8月15日　発行

著　者　　「アジア城市（まち）案内」制作委員会
発行者　　赤松　耕次
発行所　　まちごとパブリッシング株式会社
　　　　　〒181-0013　東京都三鷹市下連雀4-4-36
　　　　　URL http://www.machigotopub.com/
発売元　　株式会社デジタルパブリッシングサービス
　　　　　〒162-0812　東京都新宿区西五軒町11-13
　　　　　清水ビル3F
印刷・製本　株式会社デジタルパブリッシングサービス
　　　　　URL http://www.d-pub.co.jp/

MP312